KB196792

기억들

송재학 시집

청색종이

이 땅에 이 나라 넓이만 한 황무지가 있기를 바란다, 라는 다소 허망한 인식을 시작 노트 위에 세우곤 했다. 그곳에 내 시의 대부분이 헌정된 것을 어떡하랴. 현실의 황무지뿐 아니라 상상의 황무지조차 그 몽리면적을 넓히기란 쉽지 않다. 느리게, 스멀거리며, 자꾸 움푹 패는 내 정신의 황무지는 헤아릴 수 없는 무효용성으로 인해 나에게는 시의 반대쪽이면서 가장 시적인 영토이기도 하고, 그 원시성으로 인해 시의 영혼 그 자체이기도 하다. 그것이 말로 설명해보는 황무지의 얼개이다.

송재학

기억들

차례

닭, 극채색 볏

볏을 육체로 보지 마라
좁아터진 뇌수에 담지 못할 정신이 극채색과 맞물려
톱니바퀴 모양으로 바깥에 맺힌 것
계관이란 떨림에 매달은 추錘이다
빠져나가고 싶지 않은 감옥이다
극지에서 억지로 끄집어내는 낙타의 혹처럼, 숨표처럼
볏이 더 붉어지면 이윽고 가뭄이다

흰뺨검둥오리

그 새들은 흰 뺨이란 영혼을 가졌네
거미줄에 매달린 물방울에서 흰색까지 모두
이 늪지에선 흔하디흔한 맑음의 비유지만
또 흰색은 지느러미 달고 어디나 갸웃거리지
흰뺨검둥오리가 퍼들껑 물을 박차고 비상할 때
날개 소리는 내 몸 속에서 먼저 들리네
검은 부리의 새떼로 늪은 지금 부화중,
열 마리 스무 마리 흰뺨검둥오리가 날아오르면
날개의 눈부신 흰색만으로 늪은 홀가분해져서
장자를 읽지 않아도 새들은 십만 리쯤 치솟는다네
흰뺨검둥오리가 떠메고 가는 것이 이 늪을 포함해서
반쯤은 내 영혼이리라
지금 늪은 산산조각나기 위해 팽팽한 거울,
수면은 그 모든 것에 일일이 구겨지다가 반듯해지네

산벚나무가 씻어낸다

다 팽개치고 넉장거리로 눕고 싶다면
꽃핀 산벚나무의 솔개그늘로 가라
빗줄기가 먼저 꽂히겠지만
마음 구부리면 빈틈이 생기리라
어딘들 곱립든 군식구가 없겠니
그곳에도 두 가닥 기차 레일 같은 운명을 종일 햇빛이 달구어
내지
먼저 온 사람은 나무 둥치에 파묻혀 편지를 읽는다
풍경風磬이 소리 내는 건 산벚나무도 속삭일 수 있다네
달빛이나 바람이 도와주지만
올해 더욱 가난해진 산벚나무가家

울어라 울어라, 꽃핀 산벚나무가 씻어내는 아우성
봄비가 준비된 밤이다

참나무가족사

신갈, 떡갈, 상수리, 굴참, 갈참, 졸참, 밤나무
모두 참나무 가족이다
그들을 구분해주는 건 잎의 불완전성,
어느 참나무가 다른 참나무를 탓하랴
수피樹皮도 가끔 그들의 이름을 불러주지만
불분명하다
건반을 조심스럽게 두드리는 잎,
편모운동이 즐거운 잎을
휩싸고 도는 참나무어語의
둥글고 톱날 같은, 두꺼운 북방 악센트는
외지고 어색해 아직 불편하다

참 이상하지, 참나무숲의 냄새가 정다운 날은
바람이 참나무 배꼽을 건드린 뒤
(잎들 모두가 배꼽이라면 잎들 모두가 손뼉이기도 하지)
나무가 푸른 촛불로 바뀔 때이다
잎으로도 모자라서 온몸으로 흔들릴 때이다
무슨무슨 갈이니 참이기 전 이미 기도하는 나무인 것을,

그들 옆에 나란히 서서
팔 벌리고 귀 쫑긋하면 누구나 참나무가 켜주는 촛불이다
너도밤나무

황무지에로의 접근

만약 이 땅에 이 나라 넓이만 한 황무지가 있다면
언제까지 걷다가,
걷다가 어느새 모래 흘러가는 강이 준비한 배를 보리라
모래 같은 책의 첫 페이지가 기다리리라
낯선 모래 서가 뒤에는
바람 때문에 짐작할 만한 목마름이 맨 처음
바람 때문에 책은 운명을 급하게 이야기한다
사실 황무지는 장삼이사의 내면이면서
책의 속살인 것, 그 연약함이여
황무지가 폐허가 아니라 심연이라고 믿는다면
신기루야말로 책의 저자들
지평선까지의 거리인
뒤표지의 기다림을 생각한다면
혼자 있기 위해 필요한 몽리면적을 생각한다면
내가 가진 사막은 자꾸 넓어져야 한다
선인장의 뾰족한 시선을 견디지 못하는 앎은
각주가 많은 흉터이다
책갈피로 오래 사용한 모래 언덕 너머

뭉치고 흩어지는 구름의 판본에는

가둘 수 없는 정신의 배후인 의심이 있다

먼지투성이 의심들!

신문지 한 장 위에서

그가 방이라 가리킨 곳은 신문지 위의 한 뼘
신문지 한 장의 온기란 추위의 다른 이름이다
신문지 한 장의 등걸잠이란 살얼음이다
바람은 징의 동심원을 돌면서
그의 추억 속에 아무도 들어오지 못할 집을 짓는다
신문지 옆에 벗어놓은 신발은
지금 발굴된 고분의 금동 신발처럼 부식이 진행 중이다
신문지 한 장에 자꾸 쏟아지는 모래여,
사람 대신 울어준다는 명사산이여
한때 따뜻한 피돌기를 하던 저녁 불빛들은
이미 박제가 되었기에
가끔 불러보는 이름처럼 마른 피처럼, 눌러 붙었다
천산남로를 기억하는 황사바람 속
기립박수인 양 많은 창을 매달고 들어오는 지하철이
허기 채우는 공복,
그 얼굴에 매달리는 헛웃음에는
쐐기풀 뜨는 느린 노역뿐이다
새 잎 달고 벌써 시드는 플라타너스 가족은

가장 큰 가지를 부러뜨리므로 올해 억지로 꾸려가리라
무성한 잎을 부끄러워하는 나무들 위로
노을과 싸운 서쪽의 녹슨 하루를 보라

내소사 운韻

꺼칠한 입술로 핥아보는 내소사 눈이라면
몸 안의 것을 차례차례 버리고
대웅전까지 무르팍으로 기어가려 한다
모든 입이 먼저 눈에 파묻히리라
내소사를 찬양하는 목판본 읽는 새청 입만 남고
눈과 함께 꽁꽁 얼어붙으리라
열 개의 죄악, 열 개의 손가락이 끊어지리라
내가 못하면 나한이 와서 잘라버리리라
뱉어야 할 것마저 마구 삼켰던 위장과
동굴에 가까운 소리의 입구,
내 시선에 들어와서 비로소 악이었던 것들의 배후인
검은 눈알을 꺼내어
전나무숲의 말없음이나 눈 위에 쏟으면
뼈만 남아 내소사 설경과 다름없이 고요해질
몸!

나에게 상자가 있다

누가 불러서 나가보면 달빛 가득한 꿈처럼 나에게 기다란 골목이 있다

골목이라 하지만 오랫동안 사용하지 않아서 이미 상자처럼 딱딱하다

촘촘한 대문과 아이를 부르던 아부재기조차 상자의 목록에 합쳐져서 굳기름 아래 눌러 붙었다

그 많던 별과 감꽃도 아무렇게나 압핀에 꽂혀서 쌓여 있다 아마 기억할 수 없는 것을 곱다시 곤충채집상자로 떠밀었나 보다 꿈 밖으로 배달되는 공터와 문 닫은 집조차 별박이왕잠자리의 애벌레인 것을

상자 모양이라 골목은 자주 커다란 공명통으로 바뀐다

그 공명통이란 게 잡식성인지 비어 있기도 하고 가득 차 있기도 하다 가끔 상자를 열면 내 흉곽을 돌고 도는 골목 끝에 외등이 켜진다 내 목소리가 먼저 들린다

골목은 사라지고 상자만 남았다는 이야기를 누구에게 말할까

오늘 아이에게 커다란 상자로 된 장난감을 사주었다 텅 빈 내 상자 이야기를 해준 것이다

검은색의 음악회

흰 저고리 검은 치마의 정녀가 앞자리에 앉는다
그 여자 눈 살며시 뜨고
내가 펼친 시집의 제목을 훔친다
쥐똥나무 열매는 까만색,
그 나무의 손발이 빚어낸 점자點子,
겨울을 그 열매로 견디는가
음악회는 검은색에 헌정된 것, 가장 높은 순수여
수십만 볼트를 감당한
오래된 불화不和여
나는 검은색이 숨쉬는 소리를 들을 작정이다
콘트라베이스 독주곡으로 바뀐 검은색을 위해
객석의 불이 꺼진다
검은색은 표정에 스며들기 위해 대리석처럼 차가워진다
시집을 덮는다

복서

그날 그는 너무 많이 두들겨 맞았다
환호도 탄식도 없이 질려버린 사람들의 입 속으로 들어오는
살 찢어지는 소리, 그날 커다란 입을 가진
붉은 우체통들이 줄지어 서서 시합을 관전했다
한 라운드가 끝나면 다음 육체가 준비되었다는 듯이
그날 그는 제 몸을 깡그리 상처에 바친다
그 시간 누군가 게걸스럽게 접시를 비워내고 다시 음식을 채웠다
몇 평 남짓한 세계가 정글이 되려면
입이 병주둥아리가 되어야 하는 걸까
피투성이로 칠갑하고도 수건을 던지지 않는 복서를 보면
정글을 분석하고 싶다, 전략일까 전율일까
지금 물 먹은 개처럼 두들겨 맞지 않으면
다음 링에서도 개는 제 성질을 못 버리고
복서의 목을 놓아주지 않을 것이다

은사시나무가 있는 산업도로

산업도로를 눕혀진 엘리베이터라는 것은 은사시나무의 생각이다
고집 센 여자라고 믿는지도 모른다
움직이지 못하는 은사시나무에게도
식구가 있어 길 모가지 당겨 소식 듣는다
그 나무의 귀가 길게 뻗은 곳은 은사시나무의 중심,
건너편에서 가지치기를 한다는 풍문에도
은사시나무는 팔을 오므리지 않는다
늘 천진했지만 그 나무에도 원죄가 스며들었다
은사시나무가 아픈 소리를 내면
도마뱀같이 꿈틀거려주는 능선은 사라졌다
아파트의 높낮이가 삼킨 것이다, 그처럼
시속 일백 킬로의 덤프트럭은
은사시나무 그림자를 으깨거나 뜯어갔다, 너무 빨랐으므로
은사시나무는 자기가 이미 구멍이 쑹쑹 뚫린 줄 모르고 그냥 서 있다

두꺼비에 관한 것은 두꺼비에게 물어보라

울음 대신
삼킬 수 없는 독毒을 곱씹으면
두꺼비는 제 몸이 괴로움의 배역임을 안다
가끔 끔벅거리는 눈빛은
허기를 채워주었던 벌레의 후생을 더듬고 있다
그 일생은 톱날 같은 무채색,
즐거움을 외면한 거다
그래서 오불고불 껍데기는 징그럽게 바뀌었다
탈바가지 같은 얼굴은 결코 변하지 않을 것이다
누가 해코지해도 꿈쩍하지 않는 몸짓에는
무엇이 삶을 바꾸겠느냐는 오불관언
똥자루를 밟아도 어쩌겠냐는 저 넉장거리의 부동심
의뭉한 속셈에 부처가 몇 눌러앉아도 괜찮겠다
귀 밑에 모으는 독은
언젠가 자진하리라는 다짐

너가 잡은 문의 손잡이가 너무 뜨겁다면
머리를 몸 속에 집어넣고 너 안에서 꿈틀거릴

양서류에게 먼저 물어보라

눈의 무게

느티나무 가지에 앉은 눈의 무게는 나무가 가진 갓맑음이 잠시 모습을 드러낸 것이다 느티나무가 입은 저 흰옷이야말로 나무의 영혼이다

밤새 느티나무에 앉은 눈은 저음부를 담당한 악기이다 그때 잠깐 햇빛이 따뜻하다면 도레미 건반을 누르는 손가락도 보일 게다

소나무

한 발만 더 디디면 벼랑인데 바로 거기서 뿌리를 내리는 소나무가 있다 자세히 보면 소나무는 늘 바르르 떨고 있는데, 에멜무지로 금방 새로 변해 날아가도 아무도 탓하지 않을 아슬함으로 잔뜩 발돋움한 채 바르르 떨고 있는데, 아직도 훌쩍 날아가지 않고 서 있는 저 나무가 기다린 것은 무어냐

눈물이라는 영혼

어떤 눈물에도 영혼이 드나든 흔적은 없다 하지만 슬픔에서 낙하하는 바로 그 순간이 눈물이 물방울에서 영혼으로 바뀐 때! 그 단순한 순결에 무슨 3·4조의 음보나 손발이나 필요하랴

버들강아지

버들강아지에는 하늘거리는 영혼이 있다 봄날을 따라다니며 쫑알거리는 강아지의 흰 털도 버들강아지와 같은 종족임을 알겠다

한 영혼을 음양이 나뉘어서 하나는 어둔 땅 아래 뿌리를 가져 식물이게 하고 다른 하나는 어둠을 뇌수 안에 가두어 강아지처럼 돌아다니게 한 것이다

홍단풍

모두가 그렇게 붉을 따름이어서 더 붉지 않아도 탓할 사람이 없는데 유독 선연하여 눈길 끄는 단풍 일가一家 아래 걸음이 절로 멈췄다 붉은색을 위해서가 아니라 저 빛의 산란 때문에 내 속에서 먼저 울며 켜졌던 등불의 숫자가 몇인지 헤아려보려고, 그 등불을 매달고 달리던 기차의 창이 얼마나 많은지 고개 끄떡이려는데, 만산홍엽이 무엇이 그리 급한지 내 멱살부터 잡고 한없이 높은 음으로만 소리 지르기 시작한다, 살여울이 내 몸의 휘모리 부분만 훑고 지나간다

만어산*

가분재기 소리소리 지르고 싶을 때가 있지만 지금은 나를 그냥 두어야 할 때! 내 안으로부터 그 소리의 덩어리를 제발 밖으로 끄집어내 달라고 애원한다 한껏 입 벌려도 소리가 너무 크고 넓어서 허공에 걸쳐야 제격이다 싶을 때, 그 소리가 이명과 비슷하고, 그 소리가 비에 젖어 있으며 거무튀튀하고 각이 졌고 깊이 울리고 그 소리의 수가 하염없이 많아서 내 목청으로 도저히 감당하지 못할 때, 한때 만어산 부처그림자라던 커다란 편마암 바위처럼 편경의 형편이 돼보려 한다 내가 소리 높여도 잘 돼먹지 않은 세상이므로 편마암 바위를 깡깡 때려서 황종에서 청협종까지 내 안의 음계를 천천히 끄집어내어 햇빛에 말리는 게 고래고래 목청 올리는 것보다 훨씬 낫지

* 『삼국유사』 「어산불영」편에 만어사는 고려 때 창건했는데 승려 보림이 명종에 고하길 만어산 만어사는 북천축 가락국의 불영과 비교할 만하다고 했다. 만어산의 연못에 용이 살고 때때로 강가로부터 구름이 일어나 산꼭대기까지 올라가는데 그 구름 가운데 소리가 나며, 서북쪽 반석에는 항상 물이 고여 있어 부처가 가사를 씻던 곳이다. 일연이 직접 보니 산중의 돌에서 3/2가 다 금옥의 소리를 내었다.

햇빛이 수면에 제 숨소리로 무늬를 만들 때

자잘자잘 맨몸으로 물속에 풍덩 담기는 아이들 웃음 앞에서 나는 지금 헐벗은 느낌! 빼앗긴 것이 아니라 모두 되돌려주었을 따름이다

산

겨울 내내 사내는 물만 마신다네 갸름한 손이 천천히 살을 발겨 뼈만 남기면 그 눈빛을 마주하기 어렵다 결가부좌 사내의 마지막 옷을 벗겨, 동안거의 묵언 위로 얇고 검은 빌로드 천의 바람을 덮어주면 밤새 눈 내려, 높은 곳은 구름의 무구無垢를 껴안고 낮은 곳은 까마득하게 추락하는 흑백의 주월산

풍화 風化

— 제주시편

바람이 가진 갈퀴 손가락도 아름답다고 말해주고 싶다 제주 산록에서 온몸을 드러내면 그렇다 발서슴하는 바람은 연달아 터지는 폭죽의 뇌관을 내 몸에 장치한다 두려운 것은 문득 바람의 힘이 폭풍주의보를 빌려 한꺼번에 몸의 중심을 뻥 뚫고 지나간다는 느낌, 내 몸은 이제 출구와 입구가 생겨 이것저것 꺼내고 집어넣을 수 있다 자세히 보니 십이지장 아래쪽 구릉이 가렵더니 이미 구름체꽃 군락이 터를 잡으면서 점점 넓어진다

수치에서

수치의 햇빛은 너무 강렬하여 수치사람들은 금방 녹아버린다 그 앙금 위로 어제 자신이 녹아버린 줄 모르는 사람들이 어둠을 털고 일어나서 금방 녹을 줄도 모르고 겨우 눈만 찡그리며 정정淨淨한 햇빛 누르고 하루를 시작한다 햇빛이 눈부신 것처럼 수치사람들에게는 다시 돋아나는 삶의 떡잎이 감춰져 있다 수치에서만 벌어지는 일이다

마흔 살

미나리와 비슷하게 습지 따라가거나
잎과 줄기를 삶아 먹기 때문에 나온
미나리아재비란 이름에는 마흔 살의 흠집이 먼저다
제 이름 없이 더부살이한다는 의심이 먼저다
다섯 장의 꽃잎이 노란 것도
식은 국물같이 떠먹기 쉬운
약간은 후줄근한 아재비란 촌수 탓이다
저 풀의 독성이란 언젠가 다시 켜보려는 붉은 알전구들
돌아갈 수 없는 열정이
저 풀을 이듬해에 또 솟구치도록 숙근성으로 진화시켰다
노란 꽃 찾는 꿀벌의 항적航跡도 명주나비 얼룩나비도
미나리아재비 살림의 쓴맛 단맛
막무가내 번식하는 미나리아재비 군락을 지나간다면
일장춘몽 쓸개는 곰비임비 햇빛에 널어라
양지에 피어난 것이 어디 미나리아재비뿐이냐
누구를 기다리지도 않고 누군가 다가오지도 않는
마흔 살 너머!

개구리밥

초록이 밀사를 보냈다네
그 왕국은 아직 선포되지 않았지
며칠 전 이 늪은 고요하기만 했었네
지금 초록은 물에 비치는 푸르름만으로
한껏 울지 못하겠다고
마침내 밀사를 보내
수면에 제 왕국의 흥망을 빽빽하게 펼쳤네
수많은 초록이 물 위에 누워 한껏 게을러졌다네
이것을 개구리밥이라고만 부르지 말라
수줍음처럼, 또렷하게 작은 꽃이 핀다네
그들이 초여름의 날랜 병정들이라네

악기가 필요할 때

겨울숲에 가려면 무슨 음계라도 필요하다
어금니가 턱에 박히듯 내 혀에 맞춤한 악기가 있었으면

곧 지상 삼천 미터에서
편서풍이 황사를 몰고 온다
성숙해의 별보다 더 많은 호수가 내 안에 아롱지는 꿈을 꾼다

나는 편서풍처럼 높은 악기를 얻을 생각은 없다

활엽수림과 내가 원한 것은
눈 내린 숲의 가장 안쪽 또는 침묵이라는 악기
그 길에는 어둡지만 현악기의 활과 오솔길이 열리고
저녁에는 들끓는 분화구를 틀어막고 잠드는 생生인 악기가
날 기다리지 않느냐

숲에 가면 우우 울부짖는
공기는 왜 늘 불 꺼진 채 우는지 모르겠다
그 악기의 공명통에서

날갯죽지가 상한 새를 뒤따라 가보겠느냐
남지나해까지의 항로를 보았느냐

숲이, 겨울이
악기가 필요하지 않을 때가 있다
내가 잠시 그곳을 떠났다가 돌아왔을 때
연둣빛 새순이 검은색을 밀어내면
이제야 알겠다, 내 얼굴이
밖에서 새겨진 것이 아니라 안에서 천천히 이루어졌음을,
그리하여 눈은 내 안쪽의 수용소 같은 어둠을 먼저 들여다보고 외부를 보았음을

천남성이라는 풀

외할머니에게 남은 걱정이 있다면
사그랑이 몸뿐
꽃의 색깔이 잎과 같은 초록색인 천남성은
외할머니의 남은 것 중 몸에 가장 가깝지만
그 몸이 더 맑다
비 그친 하늘가에서 팔십 년을 보냈다면,
옆구리에 패일 찬샘처럼
잎이 변해 깔때기같이 길게 구부러진 초록 꽃잎은
이제 뻣뻣해지는 손이나 발이 생각해내는 젊은 살결처럼
저 피안에서나 다시 사용할 노잣돈처럼
숨은 노래를 다시 감추고 있다, 그 노래는
초록 꽃잎 안의 노란색 암술, 놀랍게도
꽃이름은 별의 이름, 알고 보면
잎이나 꽃이나 같은 초록인 것처럼
외할머니는 사십 년 전 내 어릴 적에도 할머니였다

기다린다는 생각

오래 벗어논 신발을 다시 신을 때

너가 벌써 와서 먼저 떠났다는 느낌

머문 시간 동안

좀씀바귀 노란색 기다림이 신발 밑창을 뚫고

한쪽 눈에 진물이 날 때까지 꽃피곤 했다

흔하디흔한 노랑이긴 하지만 저 꽃 아래

무엇과 다를 바 없는 무엇과 비교 못할

숨쉬기가 있다

기다림이기 전에 먼저 이정표이다

기다림이기 전에 너가 나 대신 떠난다는 것이다

텅 빈 허공이 생겨서

좀씀바귀마다 꽃피우게 하고

흔들리는 불빛의 수화手話를 구겨넣고 떠난다는 것이다

점점 작아지지만 더욱 분명해지는 불빛들

안 보이는 사랑

강물이 하구에서 잠시 머물듯
어떤 눈물은 내 그리움에 얹히는데
너의 눈물을 어디서 찾을까
정향나무와 이마 맞대면
너 웃는 데까지 피돌기가 뛸까
앞이 안 보이는 청맹과니처럼
너의 길은 내가 다시 걸어야 할 길
내 눈동자에 벌써 정향나무 잎이 돋았네
감을 수 없는 눈을 가진 잎새들이
못박이듯 움직이지 않는 나를 점자처럼 만지고
또 다른 잎새들 깨우면서 자꾸만 뒤척인다네
나도 너에게 매달린 잎새였는데
나뭇잎만큼 많은 너는
나뭇잎의 불멸不滅을 약속했었지
너가 오는 걸 안 보이는 사랑이 먼저 알고
점점 물소리 높아지네

평정을 잃으면 소리를 낸다

1

강물이 합수하기 전 큰소리 낸다
철로와 길과 강물이 함께 가면서
먼저 길이 막혔기 때문이다
상류에서 너가 기어이 강폭을 좁히기 때문이다
은결든 너는 폭포와 살여울을 실어보낸다
기우뚱 강이 난간을 놓치고
돌아갈 길 할퀴면서 비가 온다
이미 산그림자를 베어문 물살이 거칠다
너가 거슬러가면 강물은 급하고 높아진다
너와 부딪친 물굽이를 핑계로
강은 범람을 시작한다
팔 없이 떠내려오는 저 뗏목들
울음 없이 떠내려오는 퉁퉁 불은 부음들

2

무릇 사물이란 평정을 잃으면 소리를 내는 법이다. 초목은 본래 소리가 없지만 바람이 흔들어 소리를 내게 하고 물도 본래 소리가 없으나 바람이 흔들어 소리를 내게 하나니, 물이 뛰어오르는 것은 무언가가 격랑케 한 것이고 빨리 흘러가는 것은 무언가가 가로막기 때문이며 부글부글 끓어오르는 것은 무언가가 뜨겁게 하기 때문이다. 금석도 본디 소리가 없지만 무언가가 때려서 소리 나게 한다. 사람의 말도 마찬가지이다. 부득이한 경우라야 말을 하게 되므로 노래를 부르는 것은 생각이 있기 때문이요 통곡을 하는 것은 서러운 심정이 있기 때문이다. 입 밖으로 나와 소리가 되는 것은 모두 불평이 있기 때문일 것이다.*

* 이병한 편저. 『중국 고전시학의 이해』(문학과지성사, 1992), 당나라 시인 한유의 글 「송맹동야서送孟東野序」에서 대범물부득기평즉명大凡物不得其平則鳴…… 인용

사방무늬

중국낙양문물전의 당삼채*에 아이가 끌렸나 봅니다

돌아오는 길 내내 현란한 당나라에 대해 자꾸 물어봅니다

(대당제국의 선악을 이야기해줄까…… 나의 사대주의도 털어놓을까)

아비로서 아이의 마음을 슬쩍 엿볼 생각으로 되물었습니다

무엇이 너에게 가장 중요한 삼채이냐

아이는 오래 생각하다가 사촌동생 승현이와 명준이 그리고 컴퓨터라고 대답했습니다

아이의 대답을 듣는 순간 금방 후회했습니다(아니다 너에게 가장 소중한 것이 어찌 그 세 가지뿐이랴 친구하고 자전거 타고 시내 가기, 맨발로 모래 위로 걷기, 아비가 아는 너의 기쁨만도 쉽게 헤아리기 힘드는데)

게다가 슬픔이나 고통 역시 버릴 수 없는 색깔임을 무어라고 설명하나요 그 모두가 서로를 버티게 해주는 사방무늬라는 것에 대해 이 열세 살짜리는 이해할까요

저 느티나무 한 그루가 정말 살아 있다고 말하려면 3평방미터를 가득 채워야 하는 풀, 새 몇 마리, 벌레 수백 마리, 엄청난 미생물 등이 늘 깃들여야 하고 청설모가 다녀간 흔적과 들쥐의 울

음 또한 없어서 안 된다는 내 쓸데없는 해석이 아이에게 혼란을 주었겠지요

* 당삼채는 성당盛唐 시대(8세기)를 전후하여 제작된 두 종류 이상의 저화도低火度 연유鉛釉를 시유한 다채도기의 총칭이다. 그릇을 비롯한 다양한 생활용기나 무덤에 부장하는 도용 등의 장식품으로 제작되었다.

입김 같은 절

느티나무 잎 안에 들어가본 내 생각
나는 잠시 엎드려 죽었다가 다시 일어난다
느티나무 잎새가 만지는
절터와 별똥별은 나의 앞인가 뒤인가
불타고 헐어버리고 사라지는 것들 떠받치며
나무들 자라서 죽고
구절초 산부추가 새살처럼 돋는다
눈알 빠개지도록 부릅뜬 시선에 들어온
너른 땅 모두, 내 몸 합쳐 절이라 부르자
그 절간의 주춧돌은 새벽서리 앞세워
입김 같은 절을 짓는다
가을 갈색을 이기지 못하면
내 입김 안에 빈터가 있으니 어서 기둥부터 세워라

가그랑비

그땐 내 기침만으로 외할머니가 아프곤 했지
과육 묻은 붉은 피처럼 병이 깊어지면
여우볕 쪼이던 시계 소리는
외할머니 종종걸음을 채근했다네
내 이마를 만진 외할머니 주름손은
나 대신 날았던 청둥오리의 날개이기도 했어
거센 물살 곁의 여섯 살짜리는
옛이야기만으로 고열을 잘 견디었다
내 몸에 정거장을 만들었던 증기기관차는
빗소리와 천둥의 술래인 양 꼭꼭 숨어 있지
지금은 봄비가 외갓집의 다정다감을 들려줄 때!

불탄 부처

— 경북 청도군 금천면 박곡리 석조석가여래좌상

그 돌부처의 몸은 곳곳이 부서져
어깨에서 내려온 우견편단의 법의만 아직 부드럽고
나머지는 희미하다
얼굴마저 불타버려서 어디를 응시하는지
시선을 따라잡기가 힘들지만
그 부처는 몇 개의 얼굴이 겹쳐진 것
합장을 올려도 서원을 바쳐도 묵묵부답,
몇 번 더 그 암자에 다니자
불탄 얼굴은 이제 또 다른 가면극이다
스스로 온갖 병을 받아들여
깁고 기운 얼굴로 바뀐 게 아닐까
내가 아는 병의 이름을 더듬어가자
철면피한 얼굴과 입 없는 얼굴이 겹치고
그 얼굴이 불탄 흔적이 아니라
누군가 배고파서 뜯어먹은 편육이거나
내 얼굴이 얼비치기도 하는 거울임을 알겠다

백흥암 가을 앞에서

백흥암의 가을에 간다
가을이란 나에게 헐렁한 옷과 같아
은해사 제치고 산길 고르는 심사에는
내가 들어가도 은해사이고 내가 나와도 은해사일
그 품에 이골이 났던 탓이다
해거름의 범종소리가 바짝 말라버린 계곡에
차곡차곡 물 채우는 이명耳鳴에 시달리면
오늘밤의 잠은 속절없이 가을비에 떠밀릴 것이다
부처를 찾아가도 땀은 겨드랑이에서 스며나와
문득 나를 끌고 갔던 화두의 중턱에서 소스라친다
아, 나는 지상을 걷는 중이다
누가 이곳을 비워두었던 거지, 어둑신한
숲의 한쪽에 햇빛이 모여 있다, 마치
배흘림기둥처럼 우뚝 서서
내가 켜는 담뱃불과 마주친다
범종의 떨림이 닿는 순간
나뭇잎은 잔광을 움켜쥔다
결국 나무들은 먹물가사를 걸치고 결가부좌로 웅크린다

지금이면 담배를 피워물어도 불온한 다른 불빛은 없다
고사목까지 쓰러지는 순간을 자꾸 늦추는 걸 보니
어김없이 백흥암 극락전
이곳에 수미단이 있다
아이와 연꽃과 나찰이 같은 몸뚱이인
조선초기 목각공예라는 그것이 낡고 낡아서
파스텔 색조가 나면서 상처도 기쁨도 만다라 같다고
금방 굵어지는 빗방울과 함께 화엄안개를 피운다
나는 목질의 부드러움을 믿지 않을 수 없다
처음과 끝을 찾지 못하는 수미단의 무구無垢 속을
떠돌아다니면 먼저 극락전이 그 안으로 들어가고
은해사가 들어가고
가을마저 노란 단풍을 떠미는데
나는 어찌 겨자 속에 나를 집어넣지 못하느냐
돌아갈 길 지우는 밤비 앞에서
만상萬象은 모두 비안개가 본 것이다

아버지도 오시는 무덤

나도 가끔 동강에 간다
경상북도 경산군 와촌면 동강리
몸 구부려 비가 생각하고 안개가 근심한
동강 무덤에 간다
내가 젊어지고 간 것이 아버지만은 아니다
내가 간다면 그분도 자신의 무덤에 온다
날이 흐리자 내 몸에 흠집을 내고
우는 벌레가 아버지라고, 아버지의 영혼이라고 믿지 말라
빗소리는 아버지의 편지함
빗소리는 귀로 만들어진 물받이통으로 소식을 보낸다
동강의 복사꽃 들판은
분홍색만 무자이불처럼 끌어당긴다
저기엔 슬픔이 없다 잘 닦은 놋그릇 엎은 무덤뿐
복사꽃에서 묻어나는 진분홍은 쉽게 지워지지 않는다
아버지는 38년을 지상에서 보냈다
아버지보다 더 오래 지상에 사로잡힌
나야말로 아버지이다
물기 없는 몸 아래로 자주 모래가 쌓이자

습지 쪽으로 돋아나는 명아주 새순인 내 귀를 보라
아버지가 그러했다, 저 폭우는
방금 도착한 속달우편물, 아버지가 지상으로 보내는 마음
내 하루가 명아주 새순을 닮은 까닭도 빗소리를 듣기 위해서
이다
먹장구름이 동강 길 덮을 때
복사꽃길 따라 나보다 먼저 동강 가는 아버지
그분도 가끔 동강에 간다

빗소리를 듣는다

마침내 등뼈뿐인 물고기 닮은 비가 쏟아진다
우리는 빈집의 빗소리를 되살리려 한다
모멸스런 날을 씹는 대신 핏빛 돼지고기를 사고
술을 모은다
우리 모두 빈집이 기다리는 말없음 쪽으로
쓸쓸함이 배웅하는 건너편으로 간다
대나무는 쪼개지고 빗줄기는 사나워진다
번개가 산의 능선을 다 훑어도 우리들 얼굴 구석구석은
다 보이지 않는다
허지만 쇳소리가 쟁쟁거리기를,
온몸의 뼈가 청동으로 바뀌어
칼 차고 말 타고 비오듯 쏟아지는 화살 속을 달리기를!
빗물은 슬금슬금 스며들어와
녹물 번져서
몸 여기저기 대못 박힌 것을 알겠다
담장의 접시꽃은 조금씩 다른 우리의 내면,
수류탄 터지듯 활짝 핀 산벚나무가 이제 숨죽이면
그 틈으로 빗소리가 우리를 휘몰아가는구나

우리들로부터 쏟아진 것들이 흙탕물과 합쳐서

살여울 시작하듯

또 누군가 독백을 뱉어내듯

탓하지 못할 벌레들이 무작정 불빛으로 모여든다

어찌해도 빗방울 털지 못하는 거미줄처럼

이 하루마저 불안하여

잘 익지 않는 몽롱한 돼지고기는

식욕조차 달래지 못한다

몸 어딘가 빈집처럼 비가 새는데

몸 어딘가 쇠붙이들이 부딪히는데

여기는 지금 바닷속?

드뷔시와 햇빛이 번갈아 엘피판 뒤집으며
먼지와 죄악까지 죄다 소리로 바꾸는 날
저 무거운 햇빛 위에 수면이 있다고
지금 어깨를 짚은 건 기진맥진한 하루가 아니고
가오리의 지느러미라고 단정하라
소스라치지 말고 가벼워지렴,
더운 바람이 아니라 해류에 몸을 맡기렴
바다 밑의 구릉과 굴곡으로
걷지 말고 헤엄쳐야 된다고 생각하면
웃음 같은 해초의 싱싱한 조막손마저 즐겁다
저 많은 차들을 향유고래로 바꾸면
사람들은 하나 둘 넙치 무리
아니, 도미라도 괜찮다
난폭한 귀상어를 걱정할 필요는 없다
그들은 비행기의 항로에서 놀고 있으므로
난파선이 애달파도 그곳을 공원으로 꾸미면
그 속에 한나절은 수이 보낼 동굴이
어린 날 집 구석구석에 숭숭 뚫은 구멍처럼 얼마나 많으냐

손톱만 한 낮달은 그럼 무엇?

그 정도는 슬픔이 열어보는 흥부의 박이라고 말하자

음악이 끝나기 전 터뜨려보는 종합선물세트

태풍의 예감이 볼륨을 높일 때

드뷔시, 미열의 바다가

항아리를 깨듯 부숴버린 뜨거운 한낮,

여기는 지금 바닷속이다

조문국*의 입구

그 마을을 둘러본다고 조문국을 알 수 있을까
흔적도 없는 옛나라를 탓하기 전에
먼저 요란한 소리,
말매미 참매미 털매미 어느 놈이
버즘나무를 점령하고 내 귓바퀴를 자꾸 당기고 있는가
수도꼭지에서 쏟아지듯 매미 울음은
시장을 점령하고 있다. 한때
이곳이 왕국이라고 다짐해보지만
만물상회의 나프탈렌 냄새가 오늘이 시골 장날임을 깨닫게 한다
어디선가 왕의 뼈를 지켰던 향유와 같은 냄새와 비슷하기도 하다
금성산 정상에 조문국 병마훈련장 유적이 있다는 구절에 마음 졸이며
그 길을 묻는데 산의 햇빛은 쇠마저 녹인다고
그곳엔 달맞이꽃뿐이라고 할아버지가 중얼거린다
달빛이 얼마나 위로가 될까, 노인은 혀를 찬다
오늘 이웃집 소가 죽어 고기가 흥청망청이라고

그는 조문국 아닌 정육점을 자꾸 가리킨다
어쩌면 옛나라란 소가 씹고 씹었던 풀에서
살코기로 변해 다시 우리가 씹었던 만큼 수천번 바뀌었을 거다
이 낯선 곳에 도착한다면 얼굴을 거울에 비추지 말고
손으로 찬찬히 만져보아라
누구의 얼굴이라도 해골부터
나라 없는 왕의 미라와 조금조금 닮아간다
나도 추억과 생각을 담아둔 나라의 신민이었던 것
조문국보다 더 오래 전 이곳에 있었던 성城을
허물 벗은 매미의 힘으로 떠올린다
물론 달맞이꽃은 외래종이므로
이 나라 신민의 자격이 없다.

* 경북 의성군 금성면 일대의 고대 부족국가

나무는 경계가 아니다

그의 집을 찾아간다
히말라야시다 그늘에서 좌회전
그는 히말라야시다의 짙푸른 손가락 근처에서 산다,
는 것은 내 생각일 뿐
금방 그만그만한 아파트 이름에 진저리친다
이곳은 흑백이 컬러로 바뀌는 80년대 입구처럼 소란스럽다
히말라야시다도 점점 멀어진다
그를 찾다 흔들리면 다시 시작하기 위해
나무에 눈썹 표시를 해둔다
이쪽은 시끄럽고 저쪽은 너무 밝다
아파트와 연립주택 사이에서 고인돌을 만나지만
흥, 아무도 무덤에 놀라지 않지
사철나무 낮은 울타리는 먼지 뒤집어쓴 채
오래된 돌무덤과 뒤엉켜 있다, 여기도 모성애가 서 있군
차라리 그 농담은 우습지가 않다
조팝나무 환하던 그의 집 앞 공터
언젠가 나를 배웅했던 그의 발자국 소리는
흰 나비를 연상시켰지, 가벼웠던 그의 아이들 때문에

그 발자국에는 유충의 냄새가 느껴졌다
아이들은 아무 곳에나 자주 숨곤 했다
조팝나무가 보이지 않는다
남루해져서 베어졌을 것이다, 공터도 없다
차 모서리가 기어이 긁히고 마는 골목에서
그의 집을 못 찾아서가 아니라
그가 안타까워서가 아니라
나는 나무를 믿지 않기로 한다
나무는 경계가 아니다
그와 나는 줄지어 선 나무들처럼 가끔 잎을 맞대었을 뿐
완전히 어두워져서야 문득 잘 빚은 항아리인 양
그의 죽음을 가리키는 붉은 근조등이
내 눈 속에서도 켜진다

서행 西行

타클라마칸까지 가기 위해 배가 필요할 때가 있다
홀아비꽃대가 흰꽃을 피우는 순간이다
모든 잠의 도움으로 홀아비꽃대는 돛대를 뿜어올린다
넉 장의 잎으로 이물과 고물을 삼고
마흔 살만큼 기다렸던 작은 돛으로
서쪽의 수로를 죄다 열어본다
내가 외로우면 서쪽까지 온통 바다
혼자라는 느낌은 멍에의 운명, 홀아비꽃대의 군락지에서
오직 한 송이만 꽃대를 올린다
돛대 아래는 일평생을 저어도 아직 수평선
사랑이여, 저 돛은 손짓발짓이 세운 갈빗대인 것
짓무른 살갗을 보라
꿈만으로 쉽사리 돛은 부풀지 않는다
내 울음에 좌초하다 만 중년의 서행은
다시 홀아비꽃대 근처 되돌아오고 마는구나

격포

격포에 간다는 것은
사소한 나만의 일몰을 가진다는 것!
머리통만 한 물거품과 폭설이
서쪽 바다를 죄다 세로로 앞장세웠다가
가로로 눕히곤 한다
나에 속한 죄를 끄집어내어
바다에 헹구어본다
아귀가 맞지 않는 날의
오물이 자주 막히는 몸이 싫다
구석바다에 쪼그려 울어보기도 한다
갈라터진 마음마저 염전으로 맡기고픈
격포에선
무엇이든 다 눈동자가 있어
그리 많은 눈이 내리는가 보다
무엇도 용서할 수 없었던 내가
아무에게도 용서받지 못한다는 시선을
받아들였던 격포
아직 날은 어둡지 않은데

벌써 눈뜨는 불빛은 무어냐

거기 옹이처럼 박히자

이하석*

지금 야부도천의 시를 암송하는 사내는 승적이 없지만
길과 문자 사이의 골짜기를 내내 걸었다
그의 뒷모습은 구름이 죄다 채워준다
분명한 번개가 문득 그를 명암으로 나눈다
비가 오더라도 그의 노래를 들어라
그가 하산하기 전 이미 억새의 마음이 흔들려
막 꽃핀 흰색끼리도 부딪히며
길을 가리키는 중이다
비 피하다가 높은 음의 햇빛을 만나는 중이다
그의 손가락뼈가 죄다 희면,
우리는 어디가 아픈지 곧 알게 되리라

* 시인 이하석(1948~)

타이프라이터 애인

— 서정춘 선생님에게

나에게 타이프라이터 치는 애인이 있지

내가 'ㄷ'을 말하기도 전에 'ㅏ'와 'ㅇ'을 더하여 '당신'의 비음을 빌미로 포옹하는 여자

만약 'ㅇ'을 찍어 이데올로기라는 심각한 표정을 지으면 '잎새, 아름다움, 아리아' 등의 미학을 준비하는 여자

네 잎 클로버 사이로 그 입을 들여다보면 모든 말의 구근이 군량미처럼 쌓여 있다네

비오는 날, 'ㅂ'에 'ㅣ'를 찔러보면 벌써 고조되는 여자

짧은 앎을 탓하지 않고 자음과 모음을 뒤섞어 내 시를 대신 베껴주는 부지런한 사랑이여

한때 나는 천 개의 혀를 가진 타이프라이터를 사랑했네

기억하고 싶지 않은 것을 기억하는 것,
그것이 가시이다

그 저수지에서 무슨 소리를 들었다면 울음입니다 허지만 지금 가시연꽃은 없고 심지어 작년에 본 것이 꽃이 아니라 사람이나 음악의 그늘이었다고, 말간 수면은 내 얼굴만 되돌려줍니다 바닥치기를 한 뒤 십 년 만에 피었다는 가시연꽃은 올해 다시 해거리를 합니다 굳이 씨앗을 틔워 세상에 가시연꽃의 운명이 있다고 노래하고 싶지 않다는 겁니까 시황제의 진흙병사처럼 잠들었다고 생각하지만 물 아래는 혼탁하고 들끓는 페이지, 기억하고 싶지 않을 것을 기억하는 가시연꽃의 먼길을 예감하겠습니다 좁장하여 금방 터져버릴 창자 같은 길이거나 달의 뒤쪽인 양 영원히 보이지 않는 길이 그들의 싸움터입니다 소리꾼 권삼득이 죽음 앞에서 불렀던 "천길 높은 벼랑을 솟아 만길 폭포수로 내리쳐 출렁거리는"* 높낮이로 삶을 얻어 20세의 나이로 노래공부를 시작했다는 아름다움과 가혹한 가시는 같은 사내의 이야기입니다 이슬같이 맺힌 것, 만질 수 있는 슬픔, 아프다와 견디다라는 동사動詞가 동류로 뒤엉킨…… 어느 해 가시연꽃 무리는 물결에 머리를 얹었지만 물 밖이 자기들의 살림이 아니라고 생각했던 걸까요 며칠 이 저수지를 들락거렸지만 가시연꽃은 물보다 내 목위에서 먼저 솟아오를 듯합니다 허지만 이곳에서 십여 리 떨어

진 다른 저수지에서 올해 처음 피었다는 가시연꽃은 또 누구의 머리와 바꿔치기한 건가요

* 명창 권삼득(1772~1841)의 소리에 대한 신재효의 평가

누에

아마 내 전생은 축생이었으리 누군가 내 감정을 건드린다면 하루아침에 나는 누에로 되돌아가버릴지 모른다 출퇴근길에 만나는 강변의 야산이 친애하는 벌레처럼 다가오곤 했다 그러고 보니 잠들면 나는 늘상 몸을 뒤척이며 어디론가 가고 있었다 게다가 고기를 멀리하고 나무 그늘의 통통한 물살에 온몸을 자주 맡겼다 잎맥을 거슬러가는 애벌레의 날숨에도 내 생로병사가 느껴진다 실크로드에 병적으로 집착한 것도 수상하다 아니다 고백하자 5령이라는 잠을 자고 나면 누에는 이승과 저승의 해안을 가볍게 날아드는 나비, 더 고백하자 그 나비의 날개라는 반투명이 내 후생임을

영산전 오백나한 중에는 반드시 자신을 닮은 나한이 있다는데

오백나한이 모셔진 영산전에 반드시 나를 닮은 사내가 있다면 우연이 아니지 물론 나는 나한처럼 수행자는 아니지만 흥, 은근히 속이 상해 수많은 아라한을 훑어보아도 날 닮은 사내를 팽개치는 만큼 억지로 고르기도 쉽지 않다 허지만 나한 중 하나가 나를 추근거리면 어떡할까 자세히 보니 저 청실뢰 홍실뢰 공양이 바쳐진 이두박근 나한의 눈매는 초승달처럼 쭉 찢어진 게 내 어릴 적 사진과 빼박았으며 지금 독일로 출장 전시 간 나한의 웃음도 여간 심상한 게 아니다 무엇보다 심드렁하니 뚱뚱한 뱃살에 기댄 나한의 게으름은 내 게으름의 방식, 푸른 귀 곤두세우며 후불탱화를 기웃거리는 나한이 바로 눈썹 찡그린 내 호기심인 것을

환생

내가 어느 서역승의 후생이란 것을 안다 정신이 아니라 그의 팔다리가 내 영혼으로 바뀌었다고 속삭이는 건 역시 그 고행승을 뒷바라지하며 수행했던 자이다 문득 길에서 그 자의 말상을 만나지만 내가 먼저 피한다 어디선가 낯익은 듯하고 잘 생각나지 않는 얼굴은 모두 그 자의 소행이다 말하자면 슬픈 삶을 버티지 못한 사람의 후반부가 편입된 내 생이다 자주 떠돌아다녀야 하고 빌어먹을, 하루하루가 힘든 것으로 보아 분명 그의 용맹정진과는 상관없이 스님의 육체에서 가장 많이 사용된 팔다리가 내 원죄이다 죽은 나무의 살을 떠밀어내는 새순과 엇갈리게 내 후생이래야 누군가의 괴로움이 시작할 때 비명을 질러주는 입의 크기에 불과할 게다

이도백하

연길에서 백두산까지 6시간, 그 사이 아름다운 이도백하가 있다 지름길을 택한 버스 때문에 이도백하를 보지 못했다 그러나 지금 나는 백하의 물살에 패이는 중이다

백하는 두도에서 시작하여 이도 삼도 사도 오도까지 여러 갈래 물길로 퍼진다 삼도백하는 온통 검은 물빛의 침묵이다 우기가 습지와 검은 땅을 어루만졌기에 백하의 물소리는 언젠가 맑은 쇠가 되려는 철광석처럼 깊고 검다 그 검은 물은 땅을 달랠 대지모신의 눈물마냥 긴 여정이 필요했다 검은빛은 숲속 길 없는 곳의 신성神聖! 빽빽한 자작나무를 향해 속삭인 물소리가 금방 내 귀에서 다시 울릴 때 백하란 이름은 돌과 물과 함께 내 안에 두메양귀비 곁의 수로를 만든다

장백폭포 아래 하얗게 부서지는 물줄기가 바로 이도백하의 상류이다 천지天池가 뿜어내는 무지개에는 이두박근 삼두박근이 도려진다 그 안에 불이 이글거린다면 내려가볼 것인가 아, 백하에는 수면水面이 없다 날것 그대로 나락과 부딪히며 생기는 빗살무늬는 본래 하늘에 매달렸던 여우별, 처음 달리는 어린 말의 발굽

소리는 이도백하가 얕아서 급박한 것이 아니라 되돌아오지
않으려는 급류의 마음이 말갈기를 만든 탓이다
　내 머리 속 수많은 방향으로 희고 검은 부분이 나란하거나 겹
쳐지면서 눈뜬 이도백하는 더욱 세차다

글자

천진 북경 연태 등 중국의 도시가 나를 감탄시킨 것은 땅의 넓이나 사람의 숫자가 아니다 자금성조차 규모와 사치가 지배담론이란 생각에 미치자 금방 나는 그 성에 미련을 버렸다 허지만 곳곳의 글자들, 아무리 허름한 담벼락에도 붉은 글자가 꿈틀거리며 남루와 허술을 떠받친다 그것을 장엄으로 해석할 수 없다 미려로 보기도 힘들다 벽이 금가기 시작한 건물에 황소 정강이만한 '일구육구一九六九'는 그것이 1969년의 어떤 사건을 상기시키는데 오히려 나는 그 글자가 지닌 측側, 늑勒, 노努, 적趯, 책策, 약掠, 탁啄, 책磔 등 1969개 넘을 획을 헤아려본다 갈고리 적趯이 그토록 다양한 표정을 가진 것을 나는 간판에서 처음 읽었다 세로획이 활을 당기는 기세로 얼마나 뻗칠 수 있는가에 대한 팽팽한 긴장이 갈고리 적趯이다 그 갈고리는 물론 세로획이 마음껏 아래로 내려가도록 미리 공간을 확보하고 있다가 폭포 같은 적趯의 기세를 북돋워준 뒤 침착하게 위로 고개를 내민다 옆으로 주욱 펼쳐지는 가로획인 늑勒은 흔히 달리는 말을 재갈로써 제어하는 느낌에서 따온 것으로 알았는데 그곳의 늑勒은 첩첩산을 삼켜버린, 문득 산 하나가 치솟아오르려는 것을 억제하면 다른 산이 다시 치솟아 글자의 힘이 한껏 불거지려는 모습이다 늑勒으로부터 레일을 씹고 지나가는 울퉁불퉁한 기차 바퀴 소리를 듣는다 그러다 늑勒은 첩첩산의 고요를 회복한다 측側은 원래 기러기가 반듯하게 날아 내릴 때의 기울기로 찍은 점이다 그 측側의 아름다움은 평사낙안平沙落雁, 소상강 기러기의 하강을 다루기 때문이기도 하지만 정지에 대한 배려일 때 더욱 빛난다 모든 간판과 모든 담벼락에 가득 찬 "가벼움과 무거움, 빠르고 늦음, 기울고 바름, 곡선과 직선"의 아름다운 균형들, 중국의 거리에서 읽어본 도道이다

팔

연길 공항, 대련 가는 비행기의 앞 트랩으로 오르려니까 단정한 스튜어디스가 무표정하게 오른팔을 들어 뒷 트랩을 가리켰다 그 팔은 전혀 사용하지 않았던 생짜처럼, 최소한의 의미 외에 모두 억제하면서, 한번 어깨 높이만큼 서서히 올라가서 다시 제자리에 돌아간 애박스런 동작을 몇 초 동안 매오로시 보여주었다 여우비 같다 아우성이 없다 그녀의 것이 아니라 사회주의가 어깨에 덧붙여준 상심 없는 편육……의 슬로모션에서 나는 잘 열리지 않는 병뚜껑을 비틀어본다 격정과 눈물이 가신 사회주의자, 그 굴절 없는 움직임은 호지胡地의 산도 아니고 들도 아닌 구릉과 이음새 없이 이어진다 아, 그 팔이 수평일 때 등燈이 켜진 것도 보았다

하늘 거울

1

30번 국도를 몇 번 지나쳤을까 대구에서 성주까지 국도변의 나무는 메타세콰이어, 겨울과 여름의 자태가 아주 다른 나무, 물의 내면 같은 이 나무를 나는 가로수로 만났다 겨울 메타세콰이어는 잎을 다 떨어뜨리고도 우듬지를 꼭짓점으로 미끄러져서 이등변삼각형의 날씬한 대칭을 그린다 삼각형 아랫변에 매달리면 동글동글 물소리가 서늘하다 저 트라이앵글을 땅땅땅 때리며 지나가는 사람의 숫자는 나무보다 많지만 나무를 기억하지 못한다 두 번째 그곳을 지나쳤을 땐 여름, 나무는 자기 잎보다 더 많은 비밀을 연두색에서 초록으로 다시 푸른빛으로 떠넘기고 있었다 결사조직의 필사적인 연판장이 아니라 다음 물방울을 기다리면 벌써 그 다음 물방울이, 아니 다음다음 물방울이 나무를 감싸는 비밀, 나무의 향기가 서로 섞이고 나무의 피가 서로 피돌기를 하고 한 나무의 흔들림이 다른 나무를 흔들 때 길은 나무의 빗장을 열어준다 가야산이 비치는 못의 수면에 일렁이는 나무들의 발걸음

국도가 확장되면서 오른쪽 메타세콰이어가 뽑히기 시작했다 가지와 뿌리가 잘려나간 통나무가 한동안 방치되었다 망가진 유

클리드 기하학은 "살아남은 자의 슬픔"이다 그해 겨울 나무는 어떻게 견디는가 바람이 불어도 목 밖으로 잎만 겨우 내보내는 게으름을 탓하랴 파헤쳐진 길이 정돈되고 넓혀진 길로 어린 나무가 거꾸로 꽂힌다

예나 이제나 사람의 일이란 봄날 골라 나무가 얼비치는 하늘 닦아 거울을 걸어주는 것뿐,

2

흥덕대왕은 보력 2년 병오에 즉위하였다 얼마 아니하여 당에 사신 간 사람이 있었는데, 앵무 한 쌍을 가지고 왔다 오래지 아니하여 암놈은 죽고 홀아비가 된 수놈이 슬피 울어 마지않는지라 왕이 사람을 시켜 거울을 앞에 걸어놓았더니 거울 속의 그림자를 보고 짝을 얻은 줄 알고 거울을 쪼다가 그림자임을 알자 슬피 울다가 죽었다 왕이 노래를 지었다 하나 자세치 않다*

* 『삼국유사』 권이卷二 흥덕왕興德王, 앵무鸚鵡

라마승

길가 수퍼에서 우유를 마시는데, 할개눈을 한 사내가 문을 열고 들어온다 어디선가 한번 본 얼굴이다 하지만 그 탈을 따라가려면 천 개의 산과 강을 건너야 하고 몇 천 날의 낮과 밤이 필요하다 그도 수많은 틈새를 헤아리는 눈치이다 아마도 우리는 한방에서 뒹굴었거나 한 달쯤 가래톳의 수행을 같이 견디었을 것이다 너는 어디까지 갔니? 라는 의문을 얼버무린 채 라마승인 양 우리는 허공에서 눈수작하고 그가 챙긴 한 꾸러미의 달걀 껍질처럼 금방 부서질 인연을 간유리 너머 짐짓 감추었다

숨쉬는 산

내 늙은 누에는 어디까지나 비밀이라네 나도 벌레로의 환생을 믿어서 팔다리 집어넣고 가끔 후생을 기다린다네 몸길이 약 일천 미터에 사십 미터 어깨넓이를 유지하는 누에란 놈은 흔하디흔한 야산 같다네 실제로 그곳은 억새와 참나무의 군락지 열네 마디에 새겨진 오솔길 따라 사람들은 소풍을 간다네 도심의 강 옆에 와불처럼 누운 놈의 화두가 예사롭지 않지 그의 오래된 하품도 배울 만하다네 나의 한없는 게으름이란 느릿느릿한 벌레의 다른 말 삼유, 잠노, 또는 홍잠이라는 이름을 버선목처럼 뒤집으면 바로 나의 아명이지 저 몸피에는 애장터도 있을 법한데 일제히 아우성치는 누에와 야산의 초록색에는 나와 이어지는 손금이 있네, 연약한 운명론자! 애벌레로 탈바꿈하면서 누에는 엉덩이를 치켜들고 잎새 사이 자꾸 새 초록 고치를 꺼낸다네 저녁 무렵 저 누에가 그저 웅크린 산이고만 싶을 때를 나는 안다네 그때 나도 누에도 몸 한쪽은 벌써 나비인 것을

수법사는 없다

수법사는 없다 어머니의 발걸음이 뭉게구름에 세운 절이다 한 때 「수법사라는 곳」이란 시를 쓰기도 했지만 수법사는 없다 그래도 수법사를 찾는다면, 동창천의 앙상한 강폭이 안타깝다면, 어머니가 듣는 노랫소리를 높여라 수법사는 없지만 눈물이 이룩한 절터는 있는 법, 다시 강물이 도도해지면 단청은 수면에 비치리라 눈물 따라 다른 눈물을 만난다면 연꽃 피는 수법사도 있다 아침 햇빛의 주렴 사이로 보아야 하는 어머니 발자국처럼 수법사 햇빛은 전날 밤의 별빛이 죄다 슬프지 않아야 고우리라 일만 개의 별빛은 눈물의 숫자만이 아니다 햇빛이 따라오자 산등성이가 황소의 등짝처럼 터럭마다 다 드러나는 곳, 수법사 근처 눈 있고 마음 있는 것들은 모두 그 터럭을 긁어준다

자루를 묶는 방법

나는 지금 많은 피를 흘렸다 나를 꿰매다오 창자가 터지고 복수가 흘러나온다 더 무서운 것들이 나오면 어쩌나 나를 닫아다오 알 수 없는 익명의 육체가 꾸역꾸역 나오면 다시 뱃속에 집어넣을까 나를 꿰매다오 먹는 것과 뱉어내는 것은 삶의 반대쪽이라는데 작은창자는 어둡고 긴 터널이라는데 텅 빈 뱃속에 다시 무엇이 채워지려나 그 속을 보지마라 어서 입구를 꿰매다오 벌써 곰팡이가 푸릇푸릇하고 창자와 꼼짝없이 닮은 구렁이가 두길 보기로 똬리 틀고 있다는 소문을 들었다 놈들은 무엇을 먹나 놈들은 어디서 알을 쓰나 그 아가리를 닥치는 대로 꿰매고 뚱뚱한 나도 꿰매다오 한숨 소리조차 새지 않도록…… 이것은 악몽이 아니다 너무 많은 것을 집어삼킨 자루를 묶는 방법이다

팔조령에서 바라본 늦가을의 청도는
산봉우리 몇 개만 섬으로 떠올려놓고 죄다
구름 아래 숨었다, 그 구름을 노래하라

청도사람들은 모르리라. 지금 그들은 구름의 피붙이거나 구름이 그들의 피붙이. 팔조령에서 들과 길과 집은 활발한 구름의 높이까지 들뜬 것을 그들은 모르리라. 빛과 물이 서로 미친 듯 뒤엉키는 까닭도 모르리라. 구름의 귀를 떼어내 소리만 발라내 보렴. 모든 강과 호수의 수면이 구름 속 우레의 일을 도운다. 일만년 전부터 회임했던 청도의 온기溫氣가 청도사람들의 꿈 밖으로 빠져나와 구름이고 만 것을. 꿈은 언제나 성층권의 또 다른 이름이다. 땅에서 구름은 안개와 비슷한 몸짓으로 사람의 피와 합쳐지다가 도망가듯 포승을 풀고 다시 내옷입어봐내옷입어봐 깔깔거린다. 그들은 모르리라. 늙은 은행나무가 벌거벗은 채 암수 따로 슬금슬금 돌아다녔음을. 나무는 아직까지 수도승의 팔다리를 가진 듯하다. 개가 짖지 않는 것은 아니다, 그렇다고 극장이 문을 닫은 것은 아니다. 다만 모든 창문은 죄악보다 구름에 더 가깝고 사랑은 습하기만 하다. 구름에 고개 끄떡이는 사람들은 수량이 줄어든 강을 안타까워한다. 소식 없이 사는 사람의 아름다움이 청도에 있다. 샐비어 붉은색이 희미해지는 것은 단풍으로 얼마간 견디리라. 아픈 사람은 겨울 청도의 칩거를 눈치챘을까. 그때까지 구름을 노래하라.

재종조부

살가죽은 어둔 곳에서 부서지는 햇빛처럼 못 견디며 오그라들었다 살은 오래 사용하지 않은 가구를 덮은 얇은 광목천처럼 뼈 위에 걸쳐졌다 84세 재종조부의 몸은 잠자리날개보다 더 가벼운 걸 원해 속옷처럼 홑겹이다 죽음 앞에서 식구들 몰래 거죽을 걷어내고 살을 발라버린 뒤 다시 거죽을 씌운 걸까 그 거죽을 홑이불마냥 자꾸 얼굴까지 끌어당기는 병을 보라 아래로 푹 꺼져버린 구덩이들은 살에서 가깝던 희망 절망 웃음이다 이제 손과 다리는 보이지 않는 달을 퀭한 눈에서 건지려고 허우적거린다 한없이 퍼내고 담았던 몸의 다른 부분들마저 어떤 주인을 찾아갔다 뼈와 살을 이어주던 도랑에는 인기척이 없다 어둠마저 없다 햇빛이 다가오면 휘어버릴 육체, 이미 흙으로 바뀌기 시작한 살에서 지평선까지 들판을 달렸던 것은 자꾸 잊어버리는 과거였을까

쓸쓸한 비탈

목과흰작살이라는 지명에 이끌려 욕지도에 두 번 갔었는데, 나를 사로잡은 것은 풍광이 아니라 비탈이 뿜어내는 쓸쓸함이다 섬에서도 동네에 섞이지 못하고 경사 심한 벼랑 가까운 곳에 자리 잡은 외딴집, 외 붓듯 가지 붓듯 개망초가 점령한 비탈집은 서향이다 노을이 세우고 달빛이 야금야금 파먹는 집, 염소들이 안팎으로 들락거리며 풀을 뜯어먹는 곳, 파도만 다가와서 부딪쳐야 하는 벼랑의 집은 마치 반야바라밀다심경처럼 단순하고 깊다 상각치우가 없는 궁, 빈집이어야 할 곳에 사는 사람의 등 뒤로 구만리 남쪽으로 날아야 하는 큰 새의 날개소리만 그늘져 있다

더이상 나무를 숭배하지 말자

풍문이란 늘 끔찍한 법, 그 숲에서 몇 그루의 참나무가 세로로 길게 찢어진 채 버려졌다는 소식이 있다 힘세고 거친 수컷이 하늘도끼를 들고 나무의 정수리에서부터 항문까지 한달음에 쪼개버린 살육이 분명하다 찢겨버린 참나무의 안에서 글썽이는 나무까지, 그들에게도 죄와 벌의 의식이 있는 게지 우리가 알지 못하는 그들만의 왕법이 동료를 효수하여 사람의 눈높이에 올려놓은 게 아니냐 그 며칠 심한 폭우나 바람 대신 나무의 질투 나무의 투쟁 나무의 폭력이 칡덩굴과 함께 숲을 긴장시켰다 아, 그러니까 식물이나 동물이나 늙은것이나 앳된것이나 다 제 몸을 살찌운다는데, 나무만을 숭배하지 말자

히말라야연꽃
— 티벳방랑*

히초츠 탄두르가 죽을병에 걸리자 사내는 그 처녀를 위해 이름도 색도 형태도 없는 약초를 찾아나섰다 낡은 책에 의하면 그 약초는 냄새를 통해서만 찾을 수 있다 그 냄새는 투스라는 작은 짐승이 교미할 때 수컷의 배꼽에서 나는 냄새와 비슷하다 한번 맡을 수만 있다면 잊지 못할 냄새이므로 약초를 찾는 것은 어렵지 않다 투스는 너무나 재빠르기에 투스의 교미 순간을 잡으려면 묘음조의 울음이 필요하다 묘음조가 울면 세상의 모든 짐승은 말할 것도 없고, 시냇물이나 구름조차 멈추는데 그때 투스 수컷의 배꼽 냄새를 맡아야 한다 묘음조는 히말라야 높은 못가에서 물에 비친 자신과 사랑하고 불꽃에서만 살며 접근이 힘드는데, 그 불꽃에 다가가려면 이름도 색도 형태도 없는 어떤 약초의 즙을 손발에 발라야만 한다 그 약초는 기록에 의하면 냄새가 독특하다…… 오랜 세월 동안 사내는 묘음조의 울음을 수천 번 꿈에서만 들었지만 히말라야 입구의 주막에서 사람들에게 투스와 묘음조 이야기를 퍼뜨려서 누구나 투스와 묘음조의 존재를 알았다 사내는 눈과 바람 사이를 맴돌면서 히말라야가 첩첩 연꽃이

* 후지와라 신야의 『티벳방랑』(한양출판, 1994)에서 발췌, 인용 및 첨삭

라는 것을 깨달았고 마침내 그가 떠돌았던 꽃역域을 히말라야연
꽃이라고 부르기 시작했다

감출 '장藏'에 대해 쓰다

경주 암곡의 무장사지에 당신이 흔적 남겼다는 소식 들었습니다 먼저 삼국유사에서 「무장사미타전조」를 읽어야 했습니다 왕이 통일 후 투구를 숨긴 곳에서 당신 스스로 몸 가려야 했던 게 아닐지 암곡 가는 벚나무 터널의 길에서 당신이 입맞추었을 현악의 잎사귀 하나 떼어 나도 초록으로 옮겨가 봅니다 당신 보고 싶다는 유혹이 가파른 길을 주름잡아주리라 믿었습니다 암곡까지 차가 들어가지만 그후 길은 굽이쳐 이른바 어디라도 "허백虛白한 기운이 자연히 생"길 삼국유사의 기록 그대로, 길은 마치 유사에서 나와 유사로 되돌아간 듯합니다 가도 가도 절은 없습니다 사람의 기미도 자주 끊겨 길은 물소리와 섞이거나 술패랭이와 비슷해졌습니다 무장사는 없고 절터마저 다시 허물어져 햇빛이 아무렇게나 쌓아올려 보여주다 말다 합니다 장藏이란 글자를 자세히 보면 복잡하기 때문에 감추었다기보다 감추었으므로 복잡한 기세입니다 굽이굽이 계곡과 첩첩 산과 드문드문 인가를 한 글자가 품은 것입니다 결국 당신이 껴안았던 삼층석탑에 엎어지듯 왔습니다 옛사람이 힘을 가둔 뒤 절을 세우고 또 다른 것으로 권력의 배후를 만든 순서처럼, 내 운명에는 이곳에 와야 하는 순간이 처음부터 잉태되었다고 믿어야 할까요 한 무리 벌떼가 운명에 자기들도 얹어달라고 잉잉거립니다 부끄러움을 감추고 싶을 때 떠오르는 곳, 무장사지를 암곡에서만 찾을 일은 아닙니다 귀가하여 문을 열면 무엇이라도 세울 빈터가 남아 있습니다 탑이 없다고 낙심할 게 뭐냐고 생각하기도 전에 새근새근 잠든 어린것들이 보입니다 마지막으로 당신이란 빈 곳에서 놀거나 숨쉬고픈 내 마음이라고 고백한다면 나를 아는 이들은 용서해줄는지요

황무지란 바람을 숨긴 이름이기도 하다

별이 잠들 만큼 많은 호수가 널린 성숙해 너머 황하의 발원지가 있다 물론 길도 짐승도 없다 냄새마저 없다 내 심장은 황무지의 일부인 양 무겁게 뛰었다 장강의 발원지도 멀지 않다 티브이 해설자는 바람만 가끔 손님인 양 들르는 그곳을 당나라 때부터 지금까지 변한 게 없다고 말한다 어찌 당나라뿐이랴 허지만 황하와 장강의 발원지라니! 소동파와 이백의 일생에서 장강 상류로의 여행이란 괴테의 이탈리아 기행처럼 반드시 거쳐야 하는 시인의 의무이다 장강의 시원에는 황무지가 오히려 맞춤한 풍광이다 바람처럼 아름다운 곳이다 바람이 세우고 바람이 허무는 사원처럼 가장 빛나는 곳은 가장 스산한 것의 속셈! 제 안에 놀라움을 숨기려면 무엇보다 몇 천 년은 자신을 비워야 하지 않을까 바람만 찾아와서 머무는 곳, 귀 기울이면 아무 소리도 들리지 않는다 의미 없는 아지랑이 같은 고요, 손바닥을 슬쩍 허공에 부딪쳐보는 고요의 간이역을 황무지라 부르겠다

내 허파의 숫자

어떤 수녀들은 일생동안 오직 기도와 묵상만 한다 그 기도와 묵상에는 죄 많은 자, 죄지으려는 자, 죄 없는 자에 대한 경계가 처음부터 없다 아마존 삼림은 지구의 허파이다 말하자면 내 몸 밖에 스스로도 알지 못하는 온즈믄골잘울 개의 허파를 가진 셈이다 내 몸의 허파로만 숨쉬는 줄 알았는데 확실히 허파에는 허파꽈리가 있다 언젠가 다른 허파에 내 기도와 묵상을 매달 때도 있을까

나의 왕오천축국전

보리수 씨앗은 단단한 껍질 덕분에 금방 썩지 않고 한참 지난 뒤에도 싹을 피워낼 수 있습니다 높은 산 깊은 계곡을 헤매던 스님들이 지니던 염주는 스님이 죽은 뒤에도 싹을 틔운답니다 물론 한두 번 정도 비가 내려야 하겠지요 염주의 속내란 죽음보다 더 강인하여 길 잃고 배고픈 색신 위에 보리수를 자라게 합니다 보리수나무의 내력을 안다는 것은 길을 찾아나선 스님의 업주가리에 경배올림과 다르지 않습니다 물론 나는 염주 따위는 없지만 내 죽음 위에도 쓸데없는 풀이나 나무 같은 게 무성할 겁니다 그때 내가 무슨 영혼을 품고 다녔는지 내가 남겨둔 나 자신이 먼저 알겠지요

목련

— 옥관에게

목련이 보이자 너는 가파른 계단이 있는 지하실을 이야기한다 누구에게나 지하실의 입구는 스스로의 입! 따라서 늘 닫혀 있다 그러나 그 검은 아가리가 열리면 어쩔 수 없이 너는 지하실에 내려간다고 고백한다 목련의 지하실도 조금은 쓸쓸하지 않을까 목련이 너무 희고 가벼우므로 목련의 중심은 무거운 것들에 붙들려 있다고, 지하실에서 만들어진 꽃이라고 너는 독백을 남긴다 목련의 빛깔은 석탄 갱도처럼 위험하다 목련의 흰 꽃잎이 낙화하여 멍들거나 붉은 핏줄기를 드러내는 것을 기어이 다 보고 나서야 목련은 잎을 틔워 무성해진다는 말에 "목련의 흰 꽃잎이 낙화하여 멍들거나 붉은 핏줄기를 드러내는 것"까지 지하세계와 다름없다고 너는 주장한다 목련이 너무 희고 섬뜩하므로 금방 죽은 이의 목을 얹어서 핀 꽃이라고 너는 주장한다

산문

–

사물은 보이거나 만져지거나
냄새를 통해 나와 비슷해진다

송재학

감각

아직 나는 놀라운 삶, 견디는 삶, 극단의 삶에 더 매혹되어 있다. 그 매혹으로 떠미는 것은 우선 감각이다. 허나 내 감각이란 얼마나 주관적이고 하찮은가. 내 글은 허망한 감각을 벗어나지 못한다. 왜 허망한가 하는 것은 "지난 몇 년 동안 내가 따라갔던 애매성의 공간에 명쾌함을 부여하려고 노력했지만, 어쩔 수 없이 내 서투른 노래는 그 공간에 더욱 사로잡힐 뿐이다. 그 공간이란 날아다니는 새에 비유한다면 깃털과 깃털 사이의 꽈리 같은 허공일 것이다. 깃털이 빠지면 사라지는, 수사나 미학으로 세계를 읽으려는, 쓸데없고 분명하지"(네 번째 시집 서문) 않은 감각에 매달렸던 사람의 회의 때문이다. 한 감각주의자의 내면을 위해 먼저 욕지도를 이야기하려 한다. 어느 해 여름 동료 시인들과 도를 알기 위해("욕지도慾知道 관세존도觀世尊道") 찾은 곳이 욕지도, 그곳은 통영에서 페리호를 타고 50여 분이면 닿는 한려수도이다. 한려수도 뱃길은 과거에는 바닥이 훤하게 보일 만큼 맑은 곳이었다. 감각은 우선 그처럼 맑아야 하지 않을까. 감각은 순수와 변화가 부딪치는 경계의 일렁거림, 통영에서 지척이라지만 바닷물은 깊이를 모르게 시퍼런 색깔을 덧칠해놓았고, 섬은 뭍의 사람에겐 일상 바깥의 모습이다.

목과흰작살이라는 지명에 이끌려 욕지도에 두 번 갔었는데, 나를 사로잡은 것은 풍광이 아니라 비탈이 뿜어내는 쓸쓸함이다 섬에서도 동네에 섞이지 못하고 경사 심한 벼랑 가까운 곳에 자리 잡은 외딴집, 외붓듯 가지 붓듯 개망초가 점령한 비탈집은 서향이다 노을이 세우고 달빛이 야금야금 파먹는 집, 염소들이 안팎으로 들락거리며 풀을 뜯어먹는 곳, 파도만 다가와서 부딪쳐야 하는 벼랑의 집은 마치 반야바라밀다심경처럼 단순하고 깊다 상각치우가 없는 궁, 빈집이어야 할 곳에 사는 사람의 등 뒤로 구만리 남쪽으로 날아야 하는 큰 새의 날개소리만 그늘져 있다

—「쓸쓸한 비탈」 전문

욕지도는 일주도로가 완성되진 않았지만 버스로 1시간 이상 걸리는 아직 순수의 모습을 간직한 휘황한 섬이다. '목과흰작살'이란 아름다운 지명을 찾거나, 영화 〈내 친구의 집은 어디인가〉의 지그재그 길을 시선에 담아보는 곳. 낡은 일주버스의 운전기사와 차장은 부부이다. 그 또한 압바스 키아로스타미의 동어반복처럼 우리가 이미 지나쳐버린 삶의 방식이다. 버스는 섬의 동쪽 도로 끝까지 주춤거리며 더듬다가 서쪽 해안도로를 따라 북쪽으로 간다. 욕지도는 흔하디흔한 풍광과 놀라움이 뒤섞인 곳이다. 흔하디흔한 풍광은 이곳이 우리의 삶과 이어진 곳이라 믿게 하고 놀라운 점은 우리가 일상의 바로 바깥에 왔음을 말해주므로, 그 뒤섞임이 사람을 고조시켜준다. 일행이 여장을 푼 유동마을은, 작은 섬 하나가 아슬하게 연결되거나, 애절하게 떨어져나간 섬이 가냘프게 금방 이어진 듯한 곳이다. 그 애절함 사이로 몽돌밭이 아담한데, 몽돌의 기표는 모든 돌을 둥글게 하는 데 소

비된 억겁 시간이다. 모든 인식은 감각에서 유래한다는 감각론의 유물적 편향을 믿고 싶다면 달이 뜨기를 기다려야 한다. 욕지도에 가려면 맑은 날과 보름달이 떠받쳐주어야 하듯. 달빛이 수면에 깔리더니 금방 파도와 함께 몽돌밭을 적시면 달빛은 산산이 부서져 파편만 남는다. 파편은 그러나 사라지는 게 아니고 보는 사람의 심장을 찔러 사람은 피칠갑하듯 붉다. 지금 나는 달빛을 피투성이 붉은색으로 바꾸어놓고 말았다. 무엇이 달빛의 환한 색을 붉은색으로 물들였나.

> 겨울 노루귀 안에 몇 개의 방이 준비되어 있음을 아는지
>
> 흰색은 햇빛을 따라간 질서이지만 그 무채색마저 분홍과의 망설임에 속한다 분홍은 흰색을 벗어나려는 격렬함이다 노루귀는 흰 꽃잎에 무거운 추를 달았던 것, 분홍이 아니라도 무엇인가 노루귀를 건드렸다면 노루귀는 몇 세대를 거듭해서 다른 꽃을 피웠을 것이다 더욱이 분홍이라니! 분홍은 병病의 깊이, 분홍은 육체가 생기기 시작한 겨울숲이 울고 있는 흔적, 분홍은 또 다른 감각에 도달하고픈 노루귀의 비밀이다
>
> —「흰색과 분홍의 차이」, 『그가 내 얼굴을 만지네』, 민음사, 1996

"흰색은 햇빛을 따라간 질서이지만 그 무채색마저 분홍과의 망설임에 속한다 분홍은 흰색을 벗어나려는 격렬함이다"라고 내가 노루귀란 봄꽃을 노래했을 때 흰색과 분홍의 차이는 내 감각이 따라간 색의 높낮이이다. 어떤 책과 도움말도 없이 나는 상식의 힘으로 노루귀를 따라가면서 껴안고 사유하고 싶었던 바, 내

가 가진 식물학적 상상력으로 꽃은 상처이다. 땅 아래 뿌리를 둔 생生이라고 모두 꽃을 피우지 않는다. 꽃을 피우는 것은 생존과 상관이 있다. 그것을 나는 생의 괴로움으로 읽는다. 난초의 꽃대가 겨울을 나고 봄에야 꽃의 사치奢侈를 소유하는 그 생을 유추해 보면 꽃이란 기쁨이기 전에 어디까지나 괴로움의 영역이다. 노루귀에도 그 상식을 빗댈 수 있을까. 잎보다 먼저 올라오는 그 작은 꽃에게 상처를 발견하는 것은 가혹하다. 아직 잔설과 손돌이추위가 군데군데 머물고 있는 봄산에서 노루귀의 희거나 분홍색 꽃은 생을 다시 시작하고픈 사람의 이미지이다. 그 이미지에는 금방 인생을 시작하려는 모습이 아니라 몇 번의 좌절과 끔찍함을 거친 사람의 겸손함이 배어 있다. 노루귀는 힘든 밤과 추운 겨울을 온몸으로 거쳐왔다. 아직 피지 않은 미정형 꽃들은 분명 그 신산을 들숨으로 마시고 탄식을 날숨으로 내뿜는다. 그리하여 꽃들이 제 색色을 세상에 드러냈을 때 노루귀는 추위를 견딘 자의 견인력과 비교할 만하다. 그럼에도 불구하고 노루귀의 흰색과 분홍의 차이를 어떻게 설명할 수 있을까. 앞서 나는 식물학자에게 묻거나 책을 들춰보지 않겠다고 말했다. 내 생각을 정리하고 내 상식으로 노루귀를 옹호하고픈 마음이 강했던 탓이다. 흰색은 거칠게 말하자면 보는 자의 감각이 스미기 전의 순수함이고 분홍은 흰색이 빚어낸 만유의 색, 그럴 때 다시 흰색은 분홍의 영향으로 본래의 순수함에서 분홍을 잉태하는 대지모신의 자궁을 가진다. 흰색과 분홍은 시간의 자궁에서 서로 영향을 미친다. 자연의 섬세함이 나를 즐겁게 한다, 아니 자연의 섬세함이 나를 눈물겹게 한다. 따라서 내가 달빛을 붉은색으로 피칠갑시킨 상상력의 회로는 달빛에 기울고픈 나의 편애이다. 달빛만 그런가. 달빛을 실어나르는 파도는 어떤가. 파도는 달빛처럼 밀려와서 부서지다가 다시 바다로 쓸려나가는데 몽돌의 아래와 위 그리고 곁에서 자갈자갈 소리를 낸다. 중국어는 4성을 가지고 베트남어는 6성, 살윈강 근처 소수민족은 12성, 욕지도의 파도는 16개의 성조를 가지고 온갖 소리를 빚는다. 그때야말로 감각은 화엄세계처럼 완전히 열려서 파도와 달빛과 소리를 담는 귀와 눈은 일치하여 귀는 파도의 것이다가 눈은 달빛의 것이 되기도 한다. 극단적인 감각론자들은 이성마저도 감각의 한 변형으로 본다.

긴장

1

강물이 합수하기 전 큰소리 낸다

철로와 길과 강물이 함께 가면서

먼저 길이 막혔기 때문이다

상류에서 너가 기어이 강폭을 좁히기 때문이다

은결든 너는 폭포와 살여울을 실어보낸다

기우뚱 강이 난간을 놓치고

돌아갈 길 할퀴면서 비가 온다

이미 산그림자를 베어문 물살이 거칠다

너가 거슬러가면 강물은 급하고 높아진다

너와 부딪친 물굽이를 핑계로

강은 범람을 시작한다

팔 없이 떠내려오는 저 뗏목들

울음 없이 떠내려오는 퉁퉁 불은 부음들

2

무릇 사물이란 평정을 잃으면 소리를 내는 법이다. 초목은 본래 소리가 없지만 바람이 흔들어 소리를 내게 하고 물도 본래 소리가 없으나 바람이 흔들어 소리를 내게 하나니, 물이 뛰어오르는 것은 무언가가 격랑케 한 것이고 빨리 흘러가는 것은 무언가가 가로막기 때문이며 부글부글 끓어오르는 것은 무언가가 뜨겁게 하기 때문이다. 금석도 본디 소리가 없지만 무언가가 때려서 소리 나게 한다. 사람의 말도 마찬가지이다. 부득이한 경우라야 말을 하게 되므로 노래를 부르는 것은 생각이 있기 때문이요 통곡을 하는 것은 서러운 심정이 있기 때문이다. 입 밖으로 나와 소리가 되는 것은 모두 불평이 있기 때문일 것이다.

—「평정을 잃으면 소리를 낸다」 전문

긴장이야말로 시학의 중심이라 생각한다. 시는 다른 말로 불평이다. 좋은 시는 긴장과 불평 밖에서도 얼마든지 찾을 수 있지만 나는 아직 불평 속에 머문다.

무릇 사물이란 평정을 잃으면 소리를 내는 법이다. 초목은 본래 소리가 없지만 바람이 흔들어 소리를 내게 하고 물도 본래 소리가 없으나 바람이 흔들어 소리를 내게 하나니, 물이 뛰어오르는 것은 무언가가 격랑케 한 것이고 빨리 흘러가는 것은 무언가가 가로막기 때문이며 부글부글 끓어오르는 것은 무언가가 뜨겁게 하기 때문이다. 금석도 본디 소리가 없지만 무언가가 때려서 소리 나게 한다. 사람의 말도 마찬가지이다. 부득이한 경우라야 말을 하게 되므로 노래를 부르는 것은 생각이 있기 때문이요 통곡을 하는 것은 서러운 심정이 있기 때문이다. 입 밖으로 나와 소리가 되는 것은 모두 불평이 있기 때문일 것이다.

라고 한유가 「송맹동야서送孟東野序」에서 지적했을 때 평정이란 무엇보다 혼돈이라 할 수 있다. 평정을 혼돈이라 읽는 오독은 나의 평정에서는 시가 고이지 않기 때문이다. 다시 말해서 평정을 잃는 순간이란 바로 또 다른 질서이자 섬세함이라고 말하고 싶다. 섬세한 질서? 심지어 나에게 여름의 태풍이나 가을의 산불 같은 재해조차 자연의 섬세함으로 다가온다. 한유는 말과 글의 발생을 통찰했는데, 그것은 좋은 시론이기도 하다. 왜 긴장인가. 고대 한자의 서체와 서사방법은 동한東漢 때 종이가 발명되고 동주東周에 나온 대전大篆과 해서의 통용으로 해서 널리 보급되었는데, 시가 아니더라도 초기 문자는 극도로 응축될 수밖에 없었다. 노래로부터 비롯된 시가 극도로 절제된 말을 제 몸으로 삼지 않을 수 없었던 터. 시어가 절제를 필요로 한다면 그러한 절제는 당연하게 긴장된 시간과 공간으로 세계를 떠민다. 시의 운율은 바로 긴장이다. 긴장은 시를 말하는데 있어서 가장 중요한 덕목임에도 불구하고 긴장의 미학으로 시를 분석하는 경우는 드물다. 앨런 데이트의 조금 긴 주장을 들어보면, "(문예작품에서) 문자적 의미는 바깥세계로 향하는 것이고 비유적 의미는 작품내부로 향하는 것이니까, 결국 밖과 안이라는 반대방향에서 서로 당기는 힘이 즉 긴장인 것이다. 좋은 작품에서 우리는 어떤 힘을 느끼는데, 그 힘은 바로 그러한 내포된 서로 반대되는 세력들의 밀고 당김에서 생긴다는 것이다." 이러한 긴장의 미학을 삶에 적용하면, 서로 반대 개념이란 상호 밀어냄이 아니라 상호 길항한다는 것! 길항이란 바로 상승의 역학적 상상력이다. 긴장이란 내용뿐 아니라, 형식으로도 가능하다. 그 긴장의 뒤엉킴을 짧은, 격렬한 언어로 순식간에 모방하는 내 시의 방법론은 그야말로 한 방법론에 불과한 것이리라. 다시 욕지도를 덧붙이겠다. 욕지도에서 가장 가슴 저미며 다가온 풍광은, 서쪽 바닷가 절벽 바로 위의, 가파른 경사지의 인가人家들이다. 그 인가들은 바람의 적인 양 바람의 정면에 드문드문 서 있기도 하고, 파도의 먹이처럼 수면 위에 아스라하게 떠 있기도 했다. 욕지도 자체가 유배지로 보일 만큼 아득한 곳인데, 그곳에서도 사람살이에 섞이지 못하고 바람드센 그 경사지에 머문 삶이란 도대체 무엇인가.

가장 바람직한 시란 노랫말이라 믿는 나에게 긴장이란 노랫말까지의 여정이다. 아니 노래란 나에게 너무 무거워서 어울리지 않는다. 내가 걸러내고 따지고 깎아내고 싶은 것은 노래 바로 전의 단순하고 소박

> 함이다. 그러나 나는 단순함을 학습으로만 익혀왔다. 단순함을 삶으로 말할 수 있는 경지란 너무 아득하여 나는 겨우 미묘함과 팽팽함을 내 글의 화두로 남길 뿐이다.

라는 세 번째 시집의 후기는 지금은 물론 앞으로도 상당기간 유효하다. 긴장과 노랫말은 어떤 부분에서는 일치하고 어떤 부분에서는 대립한다. 내 시는 궁극적으로는 노래를 향해 갈 것이다. 그러나 노래의 리듬과 박자와 화음을 얻기 위해서 많은 것을 희생하여야 하는데 내 마음은 아직 긴장에 더 기울어져 있다. 나를 문학으로 떠밀어준 행불행에 대해 애정과 증오를 동시에 가지듯 긴장과 단순함은 나의 현재와 미래이다.

'우레'를 예로 들어보면

"들을 제는 우레러니 보니는 눈이로다"는 송강의 『관동별곡』 한 구절이다. '우레'는 등단 시절부터 하염없이 내 시를 따라다니기 시작했다. 왜 나는 한자말 '천둥'보다 우리말 '우레'에 더 끌리는가. 우레란 번개와 짝을 이루는 자연음의 표기인데 그 굉음은 내 귀의 임계를 벗어났으므로 단순하게 나를 깨우는 소리로만 작용하지는 않는다. 우레의 'ㅇ'과 'ㄹ'이 드러내는 부드러움 속에 내 귀로 다 들을 수 없는 땅과 하늘의 시작과 끝을 알리는 소리가 있다. 'ㅇ'과 'ㄹ'의 장점은, 높고 넓으며 짐작키 어려운 현묘함들이란 빠르고 날카로운 것이 아니라, 둥글고('ㅇ') 느리다('ㄹ')는 데 있다는 것을 지시한다. 우레란 나에게 심연이거나 심연에의 지시대명사이다. 천둥이란 말에 갇힌 "하늘이 뿜어내는 둔중한 소리"란 이미지는 우레가 가진 심연의 이미지(우레의 '-레'에는 겹침의 이미지가 또렷하게 자리잡고 있다)와 비교하기는 역부족이다. 내가 "병病의 한쪽을 감싸고 깊어지는/물의 우레"라 했을 때 그 안에는 "물의 수량水量을 넓혀가는" 이미지로 우레가 등장한다. 들끓는 소용돌이 그 아래 물의 중심이 있을 것이고 그 중심에는 들을 순 없지만 굉음이 쿵, 쿵 울리는 물의 전차와 물의 펌프가 끊임없이 움직이고 있을 터, 그 중심은 그러나 고요하며 우레는 그 중심에서 시작하되 외곽까지 끝없이 확대되는 동심원의 모습이다. 또한 내가 "검은 시간이 뻘로 바뀌는 하구,/한숨 뒤에 오는 밝은 우레 소리……"라고 적었을 때 그 우레는 시간의 갑작스런 변화를 의미한다. 그 하구는 내 어린 날 경극京劇의 줄거리이고 햇빛과 시간이 배우들이다. 아이들은 검은 뻘로 가득 찬 더러운 강에서 수영을 하고 조금 용감한 아이들은 낡은 배의 고물에서 강으로 뛰어내린다. 그 모든 시간들은 엄숙하고 진지했으며 우레 소리가 들릴 때 아이들은 곧 덮칠 장대비를 피해 집으로 돌아갔다. 우레는 운명의 어떤 이름이기도 했고 엄숙하고 진지한 극劇의 마지막을 대신하는 주름잡힌 커튼이기도 하다. "봄강이 열어놓은/빛의 체 속으로/슬픈 일이 계속되면서/봄하늘마저 문득 어두워질 때/동백이/그 빛깔만으로 우레 앞에 나선다"라는 시에서 동백을 우레와 짝맞춘 것은 우레의 담담

함과 동백의 진한 붉은색과의 대비라는 격렬함 때문이 아니었을까. 그때 우레는 소리라기보다는 색깔이다. 우레의 색조로 내가 생각한 것은 밝은 흰색이니 우레의 색은 햇빛이 빌려준 것이라 할 수 있다. 동백의 붉은 꽃잎과 푸른 잎사귀를 통해 우레를 듣는 것이 동백에 대한 내 현실이었다. 근본적으로 우레란 음陰의 영역이다. 음을 강하게 표현하는 방법으로 나는 우레를 지극히 추상적인 잠재태로 만들어서 시의 곳곳에 장치했다. 누추하고 더럽고 지긋지긋한 애옥살이들은 우레 소리와 함께 섞이며 우레와 비슷하게 모든 것들의 그림자가 되었으니. 그리하여 장면전환과 성찰과 운명의 순간에 우레를 어떤 등장인물처럼 불쑥 들이밀곤 했던 우레란 내 개인사 안에서 나를 집요하게 주목하는 또 다른 자아라고 말할 수 있다.

청색시선 1

기억들

초판 발행 2016년 12월 15일

지은이	송재학
펴낸이	김태형
펴낸곳	청색종이
등록	2015년 4월 23일 제374-2015-000043호
제작	범선문화인쇄
주소	서울시 영등포구 문래동3가 58-11(당산로 8-6)
전화	02-2636-5811
팩스	02-2636-5812
이메일	editor@bluepaperps.com
홈페이지	http://www.bluepaperps.com

ISBN 979-11-955361-2-2

이 도서의 국립중앙도서관 출판예정도서목록(CIP)은 서지정보유통지원시스템 홈페이지(http://seoji.nl.go.kr)와 국가자료공동목록시스템(http://www.nl.go.kr/kolisnet)에서 이용하실 수 있습니다.(CIP제어번호 : CIP2016026157)

값 10,000원